ANTHOLOGY COMIC

ILLUSTRATION 中森煙

MANGA TIME KR COMICS

ぼっち・ざ・ろっく！

アンソロジーコミック

VOLUME 2

BOCCHI THE ROCK!
ANTHOLOGY COMIC

SET LIST

COVER ILLUSTRATION & COMIC

大熊らすこ

優しい内臓

つみきつき

ILLUSTRATION

COMIC

蚊

BOCCHI THE ROCK! ANTHOLOGY COMIC BAND

○仮名だモ

BOCCHI THE ROCK! ANTHOLOGY COMIC BAND

O-KANADAMO

巻

BOCCHI THE ROCK! ANTHOLOGY COMIC BAND

行町咄

BOCCHI THE ROCK! ANTHOLOGY COMIC BAND

HINODE ARUKIMACHI

すいそげんし

BOCCHI THE ROCK! ANTHOLOGY COMIC BAND

mebachi

深刻な

きらきら成分不足ッッ……!

#餃子ぱーりー #しか勝たん

富士フジノ

って言っても私今金欠なんだよね……

同じく

万年金欠バンドマン

あっ同じく……

う……まあ私もですけどお……

あ

じゃあさみんなで一緒に何か作って食べない？

楽しいしごはん代うくし

ごはん……！

ハイハイ！私たこパしたいです！たこパ!!

いーね！誰かたこ焼き器持ってる？

ん〜ないですけどクラスの子に言えば借りられそう……

たこパと言えば……陽キャ女子が集まってやるやつ……!

おい～チョコ入れたの誰だよw

いえ～いw

謎のノリで変な具材とか入れたり

いつめんでたこぱ
#たこパ

同時にイソスタに画像あげて匂わせしたり……

お……恐ろしい……!

あっあの……たこパはちょっと……

その……(陽キャオーラ)アレルギーが……

あれ? ぼっちちゃんタコとかダメな人だっけ?

海鮮アレルギー?

餃子は好きですけどぉ……
宇都宮でさんざん食べましたし…
ほらほら！いろんな形のも作れるみたいだよ！
わかりました……
ほっ
あっ餃子ならなんとか……！
陽度がマシな気が
リョウもいいでしょ？

食べられればなんでも!!
そう言うと思ったよ……

というわけで

どどんっ

ご両親とふたりちゃんは？

水族館行ってます……

ぼっちちゃんは行かないの？

私は……ギターの練習もあるし……

水族館も私には陽度が高すぎるというか……

……うん 具材はだいたい切れたかな

伊地知先輩 さすが！ はやい～～～！

さすが～

リョウも手伝って

あっ
にんにく
どうする？
やめとく？
におい…
明日も
休みだし別に
いいんじゃない？
バンド練
だけでしょ
私対策に
りんごジュースと
ジャスミンティー
持ってきたので
大丈夫です！
入ってた方が
美味しい
ですし
３人以外
家族しか
会わないし
な……
じゃー
これで
こねます！
喜多ちゃん
よろしく！
はーい！
きた～～ん
こねこねこねこねこね
♪
♪
郁代が
こねた餃子
…………
ピーン
売れそう！
リョウ
なんか
へんなこと
考えてない？

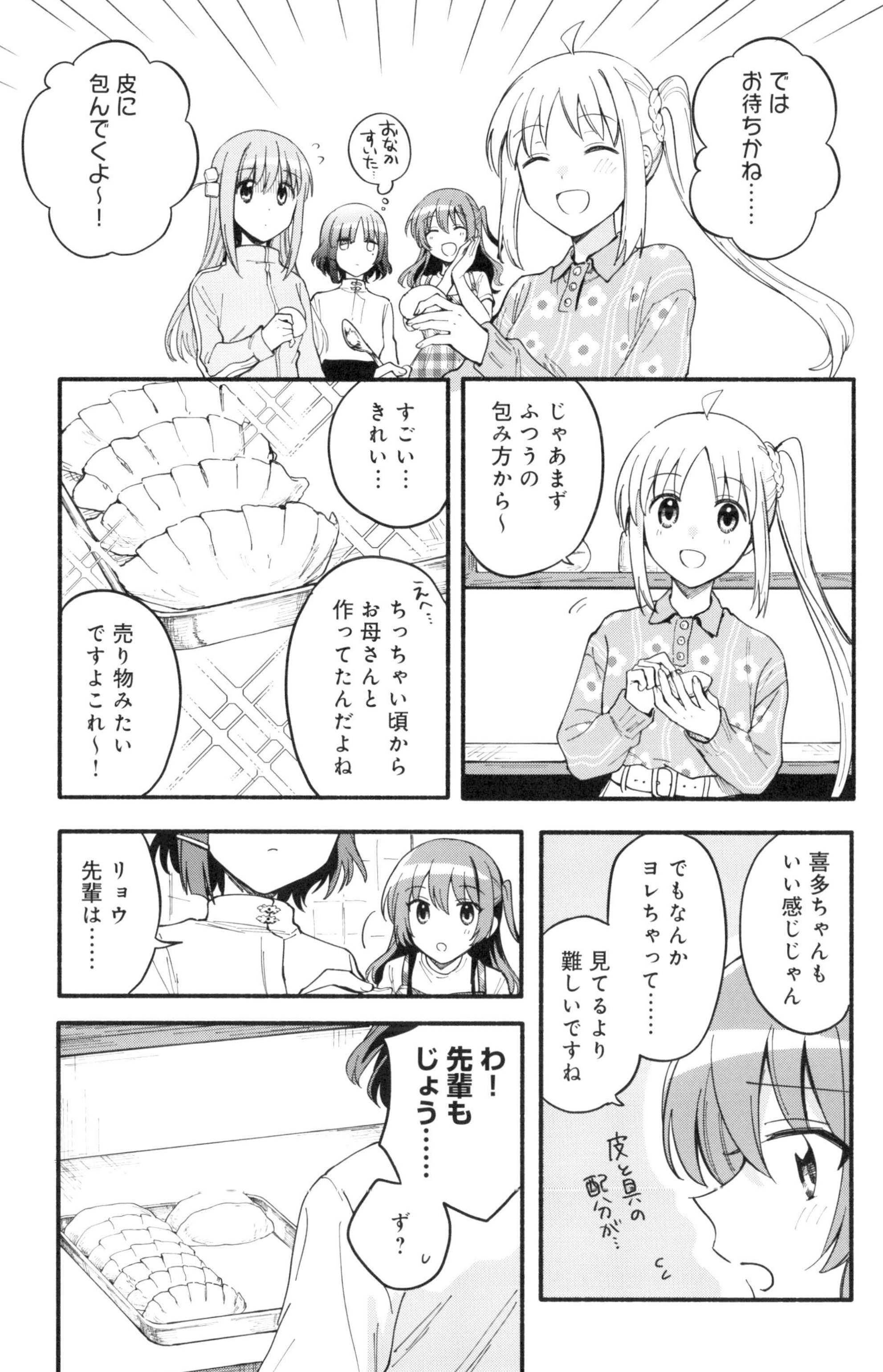

ではお待ちかね……
皮に包んでくよ～！
おなかすいた…
じゃあまずふつうの包み方から～
すごい…きれい…
えへ…ちっちゃい頃からお母さんと作ってたんだよね
売り物みたいですよこれ～！
喜多ちゃんもいい感じじゃん
でもなんかヨレちゃって……
見てるより難しいですね
皮と具の配分が…
リョウ先輩は……
わ！先輩もじょう……
ず？

なんかどんどん雑になってません？

めんどくさくて……
食べれば全部一緒だし……

もーっ見た目大事ですよーっ

ぼっちちゃんは？

あっあの

なんか……変な感じに……

も

どうやったらこうなるの!?

それにしても
餃子って
いろんな
包み方が
あるんだね
楽しいです～！
見てください！
薔薇！
すご……
ぼっちちゃん
うまく
できない？
あっハイ……
なかなか……
このやり方
簡単で
かわいいよ！
えっとね
こうして……
たたんで
まいて
くっつけて
…
ほら！
できた！
ほんとに
簡単だった……！
ね！
それにこの形
ちょっと
結束バンド
っぽくない？
くるんってするとこ！

みんなで餃子作り……

たっ楽しいかも……

だいぶできてきたね

ね？餃子も結構映えるでしょ？

ええ……でもこれじゃまだ足りません

じゃんっ！
虹色餃子!!
どうですか!? めっちゃ映えません!?
RAINBOW!
ゲーミング餃子……
かっかっこいい……！

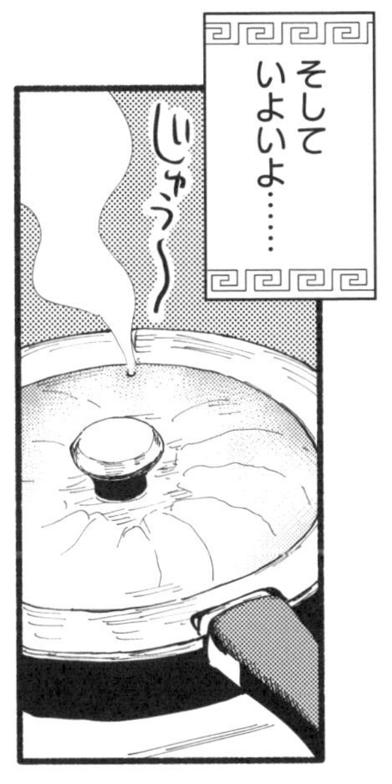

いただきまーす！
ほかっ
あつっ……
！
伊地知先輩
これ火加減
神ですよ！
美味しい!!
良かった～！
おいしい……

シソ餃子美味し……

宇都宮の名店にも負けないです

ほんとだな……

自分たちで作るとひとしおだよね

ゲーミング餃子……味はめっちゃ普通

色ついてるだけですから

映え……虚無い……

あ……

どうしたの？ぼっちちゃん

これ……

色と形がちょっと……
私たちみたいだな……って

ほんとだ あはは くっついちゃってる
これくらい私たちも結束したいですね！

よしじゃあ夜はバンド練がんばろっか！
お――――！
お～
あっはい！
ごちそうさま！

結束ぎょうざ会しました♡

#餃子ぱーりー
#しか勝たん
#バンドカラー
#酢こしょう無限に食べれる
#このあと練習

つまみが
ほしかったんだ
よねえ～～～！
ちょっ
お前……
いつの間に
いいですよ
たくさんあるんで
たべてください！

んん！
これ
おいしいねえ！
酒がすすむよ～
お前なぁ……
ここは
居酒屋じゃ
ねーんだよ!!
その後
スターリーが
酒とニンニク
臭くなり
客から
クレームが
出た

帰宅後
うわっ！
おねえちゃん
くさい!!
ガーンッ

■END

双葉陽(ふたば はる) presents...

Make Up! Make Up!

あっ！喜多ちゃんのそれ
アキメイクの新作？
そうです！ついに
ゲットしちゃいました～

前々から思ってたんだけど
ひとりちゃんって絶対
メイク映えしそうよね！
よかったらメイクさせて！
えっ

うん
確かにぼっちの顔って
整い散らかしてるよね
わくわく
どっちだよ

二人とも
勝手に盛り上がってるけど
ぼっちちゃんってそういうの
苦手そうだし無理には…

そんな完璧で
究極だなんて…
そこまでは
言ってないよ
てれっ

でも私なんかがメイクしても
変になるだけだと
思いますし……

全然大丈夫だって！
えっとまずはイエベなのか
ブルベなのかだけど…
のりきなら
私もまざりたい

なんて
ぼっちちゃんには
わからないか…
あっ

ブルベ夏
骨格ウェーブです
キリ
意外と詳しい!!!!

ひとりちゃんがそういうの詳しいなんて意外！
うん うん
わたしも診断受けたいとおもってたの！どこのサロンで受けたか教えて！
ぎゅっ
あ いや…
ネットに流れてきた指を置けば大体わかる画像で判断しました…
指を置いてみて…
まさかの自己判断…!!!
じゃーん！見て下さい！
まずは韓国風メイクで仕上げてみました！
衣装はどこから？？？
肌が白いから赤色の口紅が似合うな
え!? 喜多ちゃん口どうしたの!?

これを更にアプリで加工して～
ちょいちょい
おお
すごーい！足が長いし目が大きい
キラ
キラ
かわいい～！
……
あれ？ひとりちゃんどうしたの？
もく
もく
ああっ
これはひどい！
ばーん
やっぱり今の流行をとりいれて地雷系メイクもいいと思う…
絶対かわいい！
髪色との親和性高そうですね！
きゅっ
うん
マッキー
それじゃあ…
先輩！人の顔に文房具はやめてください！

ま まずい…
最初は普通にぼっちちゃんを可愛くできれば～と思ってたのに若干大喜利的な流れになってる！
どうしたらいいのなにがおもしろいの～！
うーん うーん…
私の顔に手のほどこしようがなさ過ぎてこまらせてる…ッ！
ごごごごめんなさい…
ガッ
もうこうなったら最後の手段しかない！
ズバババッ
ぼっちちゃんごめんね……！
ええ…ッ！
ふー
できた……！
ま まさかこんな技術を持っていたなんて！
逆によくこんな技術持ってたな…
バーン

虹夏先輩！
さすがにこれはやりすぎですよ
う　ごめん…
ひとりちゃんだって困って…
し
自分の顔を全て覆えるって
落ち着く…
冗談はともかく…
本気でかわいくしに
かかりませんか⁉
今までは
そうじゃなかったの…⁉
まずベースを塗って
血色感を足して
青みピンクのリップを
塗って〜…
コンシーラーで
クマを消して
パウダーを
はたくと
ヨレずらい
から〜
なにを言っているのか
ほぼわからない…

じゃん！
できました～！
パアアア
ぼっちちゃんかわいい～！
我ながら
上出来です！
ふふん
リョウ？
…いいね
じーーーっ
金のにおいがする
ちょっと！

これが…私…？？？
とくん…
ぼっちちゃんが
少女漫画の主人公みたいな
セリフを吐いてる…
わたしこないだテスター
もらったからひとりちゃんにあげる
はい
えっ
あ
ありがとう…！
自分に…
こんな伸びしろが
あっただなんて…
うふふふ
このリップ買ってみようかな…
いくらぐらいするんだろう…
帰宅後
よ よぉーし
早速…
いそ
いそ
これで人前も
怖くない…！
高〜い…
ぐ…！
¥5,000
なんてこと
……!!
ガクッ
可愛い女になるには
財力が必要なのか…!!!
ズーン
忘れてた…
私…画力が
壊滅的だった…
おねえちゃん
おばけみた〜い

■END

きゃーっ!! リョウ先輩が

た…たすけて郁代…

機材で拷問されてる!?

Oh…

悪夢を見るベース

presented by ウルシノ

※機材は正しく使いましょう

お金貸しすぎて
金欠になった
ぼっちちゃんが

リョウのマネして
道端の怪しい
キノコ食べたら
チルっちゃって…

Yeah…

Yes…

Heaven…

レゲェで自分を
見つめ直せば
正しく生きて
いけます

カァーー

そんなっ
私レゲェなんて
やりたくないわ!
オシャレじゃない!

ビシ〜ッ

Love…

Peace…

スッチャッ

スッチャカ

それはレゲェに失礼
レゲェとは1960年代に
ジャマイカで発祥した音楽で
1980年代に流行した
2拍目と4拍目の
カッティングと3
アクセント
うねるよう
ベースライン
奏でる独特の

罪人は
黙っとれ

うおぉぉお
しびれる

ピシ

バシ

リョウがぼっちちゃんから
タカった5万円！
どうやって返すつもりなの！
郁代～…
リョウ先輩…！
プル
プル
へろり…
…郁代
ギター
上手く
なったね
えっ♥
えっえっ♥
ドッ
ドッ
はっ…！
これは罠だ！
乗るな
喜多ちゃん！

ぼっちがトリップした今都代にならSNS大臣計画を任せられる
ひと肌脱いでくれませんか
結束バンド
@Kessoku_Band
フォローしてくださいね❤
221529918421RT
221529918421221529918421いいね
喜んで❤
ぺちぺちぺち
きたあん…
Yeah…
快諾すんなっ
そんなに水着で稼ぎたいならリョウが着ればいいじゃん！
ガミガミ
需要ない
うっ

リョウ
先輩の
水着姿
先輩の美しい
デコルテと腹筋が映える
オフショルダー
ワンピースタイプも
捨てがたいわ
でもやっぱり王道の
ビキニタイプが
一番かしら
どうしよう
先輩の美しさとかっこよさが
世界に知られてしまうっ
あるじゃん
需要…
郁代の命が
危ないから
だめ

うわっ なに!?
スッ
頼れるのは もう虹夏だけ
じゃぁ「水着でドラム叩いてみた」いってみようか…
いってみようか… じゃあねーよ!

虹夏・・・
おっおーい！
リョウ近い！近いってば!!
えっちょ待って
なに
ええ!?
おぁ〜
プロデュース料は4…いや5割でいいよ
レコーディングとミックスの料金は別でお願い
!!!!っ

リョウ・・・

私もう
ツッコミ役に
つかれちゃったよ

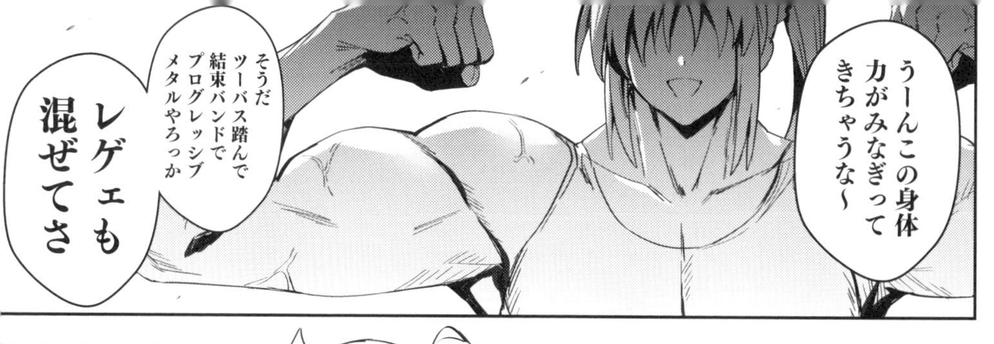
うーんこの身体
力がみなぎって
きちゃうな～
そうだ
ツーバス踏んで
結束バンドで
プログレッシブ
メタルやろっか
レゲェも
混ぜてさ

ガタ
前衛的で
いいと思う
私は用事を
思い出したから
これで
ガタ
ガタ

はいそこ
逃げない～
ぐえ

郁代…ぼっち…！
たずげで…！
ツイストバンドゥビキニも
似合うかしらでも
ランタンスリーブビキニも
絶対似合うわよねきゃーっ
やだ先輩こっち向いてください
Love the life you live,
Live the life you love,
ハァ
ハァ
スッイヤカ
スッイヤカ

あ
ああ…
あれ？
リョウだけ
普通じゃん
ライブ衣装に
着替えよっか？
ね？

それじゃ聴いてくださ〜い
結束バンドで
『レゲエとメタルと蒼い水着』
山田
結束バ
スッチャカ♪
スッチャカ♪
私がやりたかった音楽は
これじゃない……
ぐにゃあっ…

はう！
ばっ

あっ…おはようございます
そろそろライブの時間ですよ先輩
あれ…リョウ

泣いてんの？
…あくび

ぼっち
あっはい

借りてた
5万円
お返しします
えっ
こんなに沢山
いいんですか…
やったぁ?
滞納されすぎて
ぼっちちゃん
バグっちゃってるよ

郁代…
私が水着を
買うならこれ
考えすぎは
よくない
えっ
素敵です!
絶対先輩に
似合いますっ❤
いきなり
水着の話…?

ざわ…
虹夏
ざわ…
ちょっと
ツッコミ入れて
えっ?
ツッコミ…?
な…なんで
やねーん?
ぽそ…
うう…ずっと
そのままの
虹夏で
いてくれ…
ほっ
?
おわり

れっつごー
ナイトプール
presented by
永山ゆうのん
STARRY
最近は友だちもできてバンド活動もして
充実しているなあ
敵情視察と思ってさ 知ってるバンドもたしか明日…
そうなんだ
私たちも行ってみたいです♪
きまりだねっ
へへ…
このまま陰キャ卒業
なーんて…
私には縁遠い話だけど
へへへへ…
ぼっち聞いてる？
ぼっちちゃんも行くよね
え？あっはい
ほんと？
よかった～
ちょっと断られるかと思ったけど
一緒に行こうねナイトプール！
へ…

ナイトプール!?
近いらしいんだよ
新しくできたんだって
戦の時間だ…
興味はあっても
一人では
行きづらいでしょ?
一回行けば
雰囲気もわかるし
えっ
あの
それじゃ
あしたの17時に
待ち合わせね!
地図はあとで
送っておくわ
は…
はい……
その夜…
ピロリン♪
地図
おくります☆
いやいやいや
無理無理むりむり
断れない私
ばかばかばか!!

ナイトプールって
あれだよね
イソスタガールの
たまり場！
ヒェェェウ
みんな
あんなところへ
行く気なの!?
会話が異世界すぎて
流されちゃったけど
ゴミクズが
紛れ込んだら
排水口から流されちゃう！
やっぱやめるって
言おう…
地図です☆
ポチポチ
でもまって
喜多ちゃんはともかく
インドア派の虹夏ちゃんと
リョウ先輩まで…
はっ
もしかして
意外といけるのかも？
私も…
いままで
一緒にやってきた
みんなとなら
もしかして
それなら……

お風呂で練習!!
ガラッ
festival
ナイトプールの幻想的なライト!
映える浮き輪!
妹のやつ
冷蔵庫にあった
かっこいい飲み物!
ファンタ
自撮り棒!
三脚
セレブサングラス!
セレブ
完璧再現でナイトプールに慣れるんだ!
よし暗くして
カチッ
ライトともして…
ちゃぽ

ウェ〜〜〜イ

映え〜☆

チェケラ〜

ちょっと
いまいち…？

う〜ん…

ナイトプールって
もっとウェイウェイ
してるような…

あっ
そうだ
浮き輪に乗れば！

バシャ

よっと…

どばっしゃん

がぼっ!?

ゲフッ
ガハッ
はぁっ
死ぬかと思った！
浮き輪の上に乗るのって
意外と難しい！
ぶっつけで
失敗しなくてよかった！
はぁっ
はぁ
そもそも空気が
足りなさそうかも
もう少し…
ぷっ〜〜っ
ぷ〜…
ぜぇっ
ぜぇっ
無理…！
へろ〜ん
ふにゃ…
明日は空気入れ
持っていこ！
ヨシ!!

これでプールの中は完璧として
プールサイドもエンジョイしないと

プールサイドっていうと…

仔猫ちゃんたちヒマ?
遊んでよ

キャッ
素敵な人!

絵面のダメージが大きいのでバンドメンバーに変換しています

ヴォエエエッ

ガクッ

キミの瞳に
夢いっぱい

ぽーっ

ぷはーー
は～っ
プールサイドで
炭酸サイコーっ
ど…
どうかなこれ
完全にパリピに
擬態できてるのでは…!?
やった!
パリピやった!
フフフ
エヘヘ
フフフフ
ナイトプール
攻略完了だ!!
おねーちゃんが
おふろで
わらってるよー
ひとりちゃん
長風呂
しすぎよー

次の日
ぼっちは本当にくるの？
遅いですね…
やっほ～☆
あっ ぼっちちゃん やっときた……た……？？
ハロリ～ン
みんな おまたせ 今日は楽しもーっ！
アロハー
シャンシャ～ン
!?
自転車の空気入れ…？

あの…
一応
言っておくけど…
ナイトプールって
ライブハウスの
名前だからね？
Night pool
地図送ったのに
わからなかったわけ
ないですよ！
そりゃそうだよね
ごめんね
ぼっちちゃん
大荷物だね
大丈夫？
しゅぴーーん
キラン
ぼっちちゃ〜〜〜〜ん!?
ひとりちゃんが
お星さまに！
STARRYに
還っていったな…

■END

ぼっち⇄ざ⇄ちぇんじ!
presented by いしいゆか

…さん
後藤さん 大丈…
…というか
あ… れ？
何で… 目の前に 私…？
キラ
キラ
もしかして これって…
どよ
あっ
あっ…
どよ
私達っ… 入れ替わってる——!?

私 喜多と
後藤さん

in
後藤ひとり

入れ替わっちゃい
ましたっ！

完熟
マンゴー

in
喜多郁代

ええっ!?

ああっ
私の姿で
顔面崩壊
しないで～
すみません…
ほらっ
後藤さんっ！
私の利き顔は
ここから
カメラを向けて～…
この角度が
一番映えるので
やってみて！
あら？
見て
下さい！
この角度も！
こ～んな
ポーズも♡
すごく
映えますよ！

どうしよ～っ
ぼっちちゃんが
カッコ可愛い…♡
ぼっちの眠れる
美少女パワーが
目覚めた…!?
ぼぼぼ
ぼっちちゃん!?
けど…
わっ
私に…
キラキラ
オーラを纏って…
まっ
眩しい
なんて…
おっ
おっ
後藤さんっ
私の体で
溶けないで～～!?
お願いっ
どうか人の形は
保って～っ
困ったわ…
カッコいい
映え後藤さんは
撮り放題だけど
私の顔が
溶けたままだと
イソスタ更新も
できないし…
喜多ちゃん
悩むとこそこ!?
すごい
適応力
それに
比べて
ぼっちは…
あっ
あっ

戻れなかったけど これから どうするの？

喜多さんが 私の家に 泊まりに来るって ことに…

パジャマ パーティー ですね！

郁代 楽しそう

こんな時 だからこそ 楽しまなきゃ 損ですよっ！

お母さん この盛り付け 素敵！ 美味しい〜！

ひとり ちゃんっ！

おっ…

お姉ちゃん 何か変なものでも 食べたのっ!? 大丈夫!?

学校
おはよー
後藤さんがちゃんと制服着てる！
アレっ!?
普通に挨拶された！
後藤さんってこんなに可愛かったっけ？
あっ
STARRY
はい
今日のバイト着はコレで
店長さんまでっ…!?
家族
学校
バイト
私の…
存在意義…
あっ
あっ
アイデンティティーががg…

ギターも…
自分の指じゃないから…
結束バンド!
急に出演予定のバンドに欠員が出て…
代わりにステージに出て欲しいんだけど
えっ!
ってかぼ…喜多ちゃんは?
キョロ
二人ともギターだから大丈夫だよね?
あっ
でも…いつもみたいに弾けなくて…
歌は後藤さんの姿でも私が歌うしかないわね…

あっ
あ～～～～……？
あれ!?
何故か
いつもより声が
出ないんですけど…
あっ
あっ
ぼっちちゃん
いつも
声出して
ないから…!!!
すすす…
すみません
こうなったら
あの時みたいに
何か衝撃を…!!
かべ
ちょっ
ぼっち!?
それ
喜多ちゃんの
体だからっ!!!
おでこに
傷は
ダッ
イヤ～～～
バッ
ゴッ
ゴッ
ゑっ

えっ
あっ
う…
あっ
へあっ!?
すすす
すみません〜
あれ？
戻ってる…
よかった〜
二人とも
大丈夫？
あっ
はい
つぎっ
結束バンド！
準備はいいか？
STAR

この感じ…
やっぱり…
自分の体が
落ち着くぅ〜〜〜〜〜〜!!!

でも
何でかしら…
顔色も悪いし…

後藤ひとりが
動かな過ぎて
重度の肩こり

元に戻ってから
全身が痛い…！

喜多郁代の
アクティブな動きに
耐えられなかった体

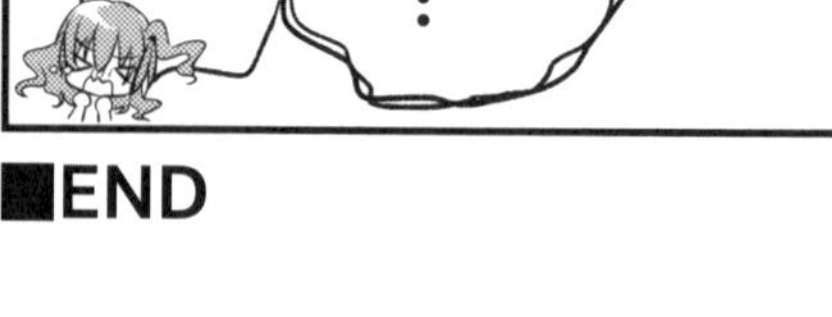

■END

大食いチャレンジ

Presented by 戸田大貴

北沢南口商店

ジーーー
ジーー
ぎゅるるるるる

もう！
リョウうるさい！
外でも
聞こえるんだけど

だって…
だって
じゃない！
リョウが
悪いんでしょ

この前掘り出し物だ
って言ってまた
エフェクター
買うから！
おおおおお

今回の
今回ばかりは
ぜーったいに
助けないんだから！

ん？
ぴた…

ちょっと聞いてるの？
これだ……

なにこれ？バケツチャーハン？
チャレンジ
バケツチャーハン
1時間以内で食べ切れれば 無料
※食べれなかったら￥2,000
1時間以内で食べ切れたら無料…

いくらお腹空いてるからってこれは無理だって
ムリムリ
いや 今の私ならいける
目が怖いんだけど

カランカラン

どーん

※追加で
唐揚げトッピング

いただきます

おいしい…お米一つ一つの味を感じられて
私の身体に染み渡る

ぽろ
ぽろ
ぽろ
米粒みたいに涙が出てる

……そんなにお腹空いていたんだ

…もうちょっと優しくしても良かったかな

1時間後

それ吐く時の介抱…

虹夏あ～
おねがい
たすけて……
こんな量私だって
食べれるわけない
じゃん！
虹夏あ～
うるっ…
う……
……～～～っ
だから無理って
言ったのにー!!
も～～～～～!!

バイト代から2000円引いとくから……
あと唐揚げ代も
ごめんなさ……うぷ
先輩 大丈夫ですか…？

■END

ヘア
チェンジ?

ぼっちへあーいずばっど!?

写真とりたい〜
写真とりたい〜!
写真とりたい〜!
きっと結束力も高まりますよ
本当に?
でもいいかも!形から入るのが結束バンドだし!
だね
はい!
えっ
まずは簡単な所から…巻き髪からいきましょう!
キタコテ〜〜ン

え？鏡!?
久しぶりに
ちゃんと見た
わ 私!?
私がうつってる!?
なな何この暗い顔
こんな顔を
世間様に晒してた!?
ハァ ハァ
ガクガク

ごめんなさい…
カツラとかの方がいいのかしら
もっと陰よりのアレンジにしたら？
陰より？
そうだ！ウェットヘアとかどーかな？
わぁ！それいいですね！
うヴェ？
ウェット
こんなふうに濡れたような質感にするのよ
エモ～い
オサレ～
色っぽいでしょ？
たたしかによく見るかも
よし
ドボボボ
ぼっちちゃん早まらないで!?

髪を軽く濡らして…
オイルをなじませつつ乾かして…
シュッ
シュッ
こんな感じでどうでしょう？
しっとり…

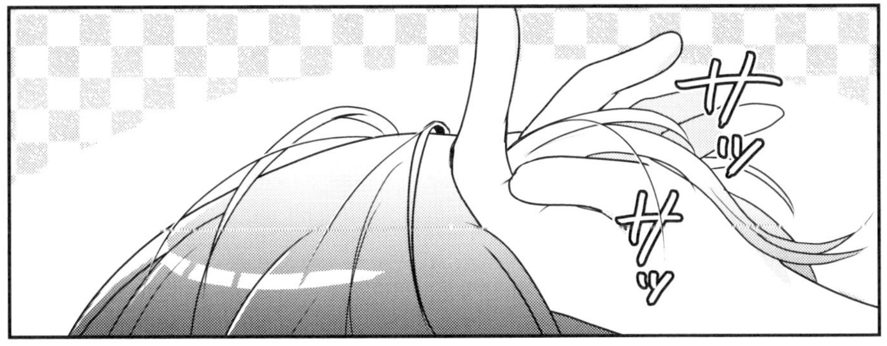

エモ／

ぎゅん、

きゃー♡

パシャ パシャ パシャ パシャ

リョウ先輩
似合いすぎです！

ドヤァ…

絵になるぅ!!

なんか
ムカつくな

かっこいい…

もう
ちょい離れて撮って

？

このくらいですか？

もうちょっと端に
くるように

端に？

??

ここにインタビュー載る感じで
雑誌想定!?
でもこういうのあるな～
気にいってくれてうれしいです～!!
伊地知先輩もセットしますよ！
私も？
お姉ちゃん以外に髪の毛触られるの久しぶり
まかせてくださいっ！
シュッ
シュッ
……
ピーーン!!

あれっ
どうしたの？
びくっ
イイエ!?
どうしよう
この部分だけ全然
しっとりしないわ!!
ぺちぺちぺちぺちぺちぺち
ゴゴ…
ん？
よく見たら
浮いて…？
あれ？
これは髪なの？
あれ？
ズオオ…
じゃ～ん？
店長に
似てる
えへへ
…

さぁ最後は…
ぼっちちゃんだね！
!!
いいいいや
あの私は…
ふふふ…
ぎゅ
ぎゅ
あぁぁぁ〜
わ〜〜！
似合ってるよぼっちちゃん！
ライブの後みたい！
うん
雰囲気出てる
アーティスト感ある
素敵！
あっあ、
あ ありがとうございます
フワッ
たたしかに
これならイケてるかも…？
ドキドキ
あとこのオイル
美少女の匂いがする…
スンスン

ただいまー…
ジャー

ふふ

フフフ…
たたっ

…お姉ちゃん
ビショビショでどうしたの？
変

うわぁあああぁ！
バッシャアアア
お姉ちゃん!?
なしになりました

■END

すたっ

お外で遊んでいて

ふと顔を上げると

あれ？

もしも お姉ちゃん達が“友達（ロリ）”になったら

おねーちゃんに そっくりな女の子が

目の前にいました

Presented by 春日沙生 かすがすなお

何してるの？
すたっ
あっ
ひっ
何もしてません！
ぱっ
何もしてないんだ？
……
名前何ていうの？
ひ…
ひとりって名前で…
おねーちゃんとおんなじ名前だ

すっ
すみません
え？
なんで
謝んの？
あっいや…こんな
可愛い子のお姉さんと
同じ名前とか
申し訳なく…
うー
うー
えっ!?
ちらっ
かわいい
だって！
ありがとう！
ニコッ

素直に受け取った!?
!?
一切の歪みがない…!
??????

落ち込んじゃった
?
光に当たりすぎたかな…
ひかり?
日陰入る?
だっ
大丈夫です!?
あっ
あそこにいるの
ひとりちゃんの友達じゃない?
ぴっ

どうかな…
いきなりちゃんづけ…
絶対友達だよね
気になるならふたり…さんあっち行ってもいいよ？
ぼっち
……
呼び捨て!?
レベル上高っ
えー
何その呼び方きもちわるーい！
呼び捨てでいいよっ
あっ
気づいた
ぼっちちゃん発見!!

ぼっちちゃん
こんなところに
いたんだ〜
みんな
心配してたの
よかったー
もう帰ったのかと
思ってた

隣の子は
だぁれ？
私の光です…
ずーん
ふたりって
いいまーす

見つけて？
かくれんぼでもしてたの？
いいな〜っ
そうなの！
ぽちちゃん！
先にかくれんぼやめるなんてズルいよー
あっ わっ
あっいや…
すみません
真剣に隠れて誰にも見つからずに
一生が終わるくらいなら
いっそ私の方からやめてやろうと…
ず〜〜ん

……
ひとりちゃんってこういう時
急にワイルドな行動するよね
うーん

ばっ
心配しないで
ぼっちちゃんは私たちが絶対見つけるよ

虹夏ちゃん…
はっ

だから次はぼっちが鬼ね
すっ
はひぃ

あっ…まだかくれんぼやるの!?
うー…

まだまだ遊ぶよ

ふたりちゃんも
一緒にあそぼっ

ぱっ！

ぱあ！

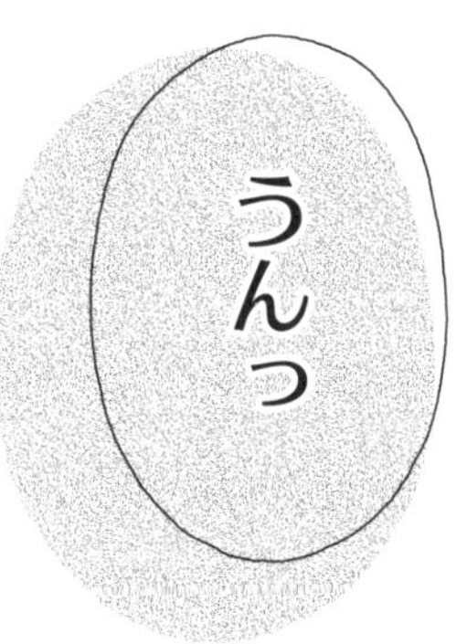

そろそろ帰るね
バイバーイ
かー
かー
引きこもり予備軍の私にはこの運動は堪える…
えー!っ
ずーん
同い年なんでしょ?

……

すっ
あのね
私おねーちゃんいるって話したけど

ひとりちゃんと
おんなじくらい
くそめんどくさい事
ばっかり言ってるんだ
ゲロゲロ〜〜〜
ごめんなさい〜…
でもね
いつも
遊んでくれる
おねーちゃん
大好きなんだ

……！
はっ
そろそろ帰らなくちゃ！
バイバーイひとりちゃんっ
ばっ
ばいばい…
私もふたりのこと大好きだよ
■END

雨上がりにみえる虹 presented by 大豆田

こらーー！
リョウ！

冷蔵庫で
雑草冷やすなって
言ってるでしょーー！
しかも
腐ってるし！

あっ…
あとで食べようと
思って…
食べるな!!
本気で
いつか死ぬよ!?

今節約中だから…
もーー！
何でリョウはいっつも
お金ないの！
おはようございまーす
あれっ
リョウ先輩
また怒られて
るの？
なんか冷蔵庫で
雑草冷やして
たとかで…
ぎゃー
ぎゃー
また独特な
理由ね…

でも二人が
一緒にいると
毎日にぎやかで
いいわよねー
ふふふ

本当
リョウってばさー

私がいなくて
どうやって
生きてくのかなぁ
支えられてるのは
お互い様
なんじゃない？

私は
しっかり者だもん！
自分の
事は
自分で
できるしっ
ハイ
ハイ。

これだから
おこちゃまは
何さー！

この一週間練習で忙しくなるなー
気持ち引き締めて頑張らないと…
あれ？リョウは？
あっえっと用事あって遅れるそうです
2023 5 May
月 火 水 木 金 土
1 2 3 4 5 6
7 8 9 10 11 12
14 15 16 17 18 19
22 23 24 25
28 29 30 31
一週間後はライブかぁ…
用事って…どうせ寝坊でしょ
ライブまで時間ないのに…
そろそろ一回厳しく言わないと…
あっリョウ先輩おはようございまーす
ぴくっ
いくよ これお願い
はーい
ちょっとリョウ!!
ライブまで一週間なんだよ！
練習する時間限られてるんだから遅刻しないでよね！
あー…ごめん…
そうやってテキトーに謝っとけばいいと思ってるでしょ！
そういうわけじゃないけど…

全く
今度からは
少しはしっかり…
あっぼっち
お金ちょーだい
2000円で
大丈夫ですか？
うん
ぴえん
いい加減にしろー!!
しっかりしてって
言ったそばから…
あんたまた
ぼっちちゃんから
お金借りて!!
いや…
虹夏…
これはちがっ…
言い訳無用!
少しは
しっかりして
くれないと
困るよ!!
私だって
大変なんだから!!

…分かった
ごめん…
ちょっと外出てくる
……
ちょっと厳しく言い過ぎたかな？いやいやでも…
あっ…あのにじかちゃ…
あっ
に
たたた
たたっ
ん？何？ぼっちちゃん？
せんぱ――い！
ちょっと早めだけど…
お誕生日おめでとうございま―――す！

って…あれ!? リョウ先輩は??
キョロ
あら？
ギョロ
これって…
一週間後の虹夏ちゃんの誕生日…
ライブの日とかぶってゆっくりお祝いできないから早めに祝おうってリョウ先輩が…
今日遅れて来たのは予約してたケーキを取りに行ってたからで…
さっきのお金も分割したケーキ代だったんです…
ごめんちょっと外行ってくる!!
ちょっと先輩!?
お姉ちゃんの言ってた通りだ

あまりにも近すぎて気づかなかった
自分が支えてる以上に
数えきれないくらいリョウに支えてもらってるんだ
リョウ!!
虹夏…
ごめん!!
ごめん
はもった…

ぷっ
あははは なんで全部 同じこと言うの
ぷっ
こっちのセリフ…
ははっ…
……
ぼっちちゃんから 聞いたんだ…
勘違いして 怒っちゃって ごめんね…
ううん… 私もごめん
サプライズするなら もっとうまく やるべきだった
日ごろの行い が悪かったせいで 勘違いさせちゃった ところもあるし
それは ちょっとそうだ
解せぬ…。
皆待たせちゃってるし 帰ろうか
うん
結束バンドで 一番付き合いが 長くて
一番身長差があって
虹夏

一番喧嘩して

誕生日おめでとう

一番
仲直りする

ありがとう

ROCCHI THE ROCK!

ANTHOLOGY COMIC

BOCCHI THE ROCK! COMMENT LETTER

BTRCL

BTRCL 01
BOCCHI THE ROCK! COMMENT LETTER
行町咄

アンソロ2巻
おめでとうございます!!

関連する情報を見ない日はないほど、
多くの人に受け入れられているぼざろに
関わらせて頂けて本当に光栄です!
アニメもマンガも曲も最高・・・!

結束バンドも大好きですが、
その四人をかわいがって見守ってくれている
大人組も大好きです!(ダメ人間なところがまた良い)

偶然立ち寄ったSTARRYでPAさんに一目惚れするも
一生関わることもないモブになりたかった…

ささくれ三銃士 スキ…

BTRCL 02
BOCCHI THE ROCK! COMMENT LETTER
いしいゆか

はまじ先生の描かれるぼざろの世界と、
アニメでも、何倍も可愛いとかっこいいを
プラスされ 日々進化し続ける
推しのぼっちちゃんを沢山見られて
幸せです♡
これからもぼっちちゃん達の
更なる活躍を楽しみに
しています――!!
いしいゆか

ぼざろキャラ好き勝手かいて・・・

すみません・・・

ぼっち・ざ・ろっく!

BTRCL 03
BOCCHI THE ROCK! COMMENT LETTER
ウルシノ

ありがとうぼっち・ざ・ろっく！

ありがとうぼざろ…産まれてきてくれてありがとう…(涙)

ウルシノ

食べると悪夢を見るチーズだってさぁ～食べて食べて～♪

酒盗にチーズは鉄板

スティルトンってブルーチーズだよな…

『悪夢を見るチーズ』なんて名前の曲があるんですね～

あ…

Special Thanks!　機材監修:Instantさん　3D制作:Glastonburyさん

BTRCL 04
BOCCHI THE ROCK! COMMENT LETTER
○仮名だモ

いえい

みんな大好きです～!!!

大大大好きな
ぼっち・ざ・ろっく！のアンソロジーに
参加させていただけて大変光栄です。
今後も1ファンとして
マンガも！アニメも！音楽も！とーっても楽しみにしております！
ありがとうございました〜
○仮名だモ

BTRCL 05
BOCCHI THE ROCK!
COMMENT LETTER
大熊らすこ

BTRCL 06
BOCCHI THE ROCK!
COMMENT LETTER
大豆田

BTRCL 07
BOCCHI THE ROCK! COMMENT LETTER
蚊

アンソロジー2巻
発売おめでとう
ございます!!

大好きなぼざろのアンソロジーに
お誘いいただけて光栄です…!

ぼっちちゃんの言動によって
己の黒歴史がよみがえり、
心をかき乱された人は
自分だけではないはず…。

蚊

BTRCL 08
BOCCHI THE ROCK! COMMENT LETTER
春日沙生

4人+ふたりちゃん
たくさん描けて
楽しかったです♪
特にぼっちちゃんの
表情は新鮮でした…!
春日沙生

アンソロジー2巻
発売おめでとうございます〜

うおおおおお
大槻ヨヨコ

学生ヨヨコ好キ
コミックス4巻26ページ

アンソロジー2巻祝!
ありがとうございました
おいそげん

ぼっち・ざ・ろっく
アンソロジー
2巻発売
おめでとう
ございます!!

大人組…大好きです…

おにころ

BTRCL 11
BOCCHI THE ROCK! COMMENT LETTER
つみきつき

カバー下に
お邪魔させて
いただきました！

これは攻めすぎかな？
と思った部分も問題なく
通ってロックだ！と
思いました。

みき

BTRCL 12
BOCCHI THE ROCK! COMMENT LETTER
戸田大貴

ぼっち・ざ・ろっく！

6巻とアンソロ2巻発売
おめでとうございます!!
ずーーっと推していた
山田を描けて嬉しかったです。

2冊とも買うから
お金貸して。

BTRCL 13
BOCCHI THE ROCK! COMMENT LETTER
中森煙

BTRCL 14
BOCCHI THE ROCK! COMMENT LETTER
永山ゆうのん

BTRCL 15
BOCCHI THE ROCK! COMMENT LETTER
富士フジノ

やっぱ
ギョウザには
生だよね〜♡

公式アンソロ2発行
おめでとうございます!!
アニメを見てハマり、
「ぼざろ好き!」と担当さんに
言っていたらお仕事を頂きました。
描いていて楽しかったです!!

富士フジノ fujino

BTRCL 16
BOCCHI THE ROCK! COMMENT LETTER
双葉陽

あとがき。

本編では
描けなかった
ギターとぼっちちゃん。

この度はぼっち・ざ・ろっく!
アンソロジーにお声下さり
ありがとうございます〜!

ぼっちちゃんたちの
女子トークを妄想して
マンガを描くのが
たのしかったです♡

これからのぼざろも
応援しています

フタバ

BTRCL 17 BOCCHI THE ROCK! COMMENT LETTER 巻

BTRCL 18 BOCCHI THE ROCK! COMMENT LETTER めばち

BTRCL 19
BOCCHI THE ROCK! COMMENT LETTER
優しい内臓

BOCCHI THE ROCK! COMMENT LETTER BTRCL

ROCCHI THE ROCK!
ANTHOLOGY COMIC

KIRARA MENU1930

BOCCHI THE ROCK! ANTHOLOGY COMIC

ぼっち・ざ・ろっく!
アンソロジーコミック
②

2023年9月9日 第1刷発行

［発行者］
東 敬彰
［発行所］
株式会社芳文社
〒112-8580 東京都文京区後楽1-2-12
（電話）代表 03-3815-1521 （振替）00110-8-174056

［装丁］
内古閑智之&CHProduction
［印刷所］
株式会社光邦
［製本所］
株式会社セイコーバインダリー